cycle premier

LA QUÊTE
DE L'OISEAU DU TEMPS

2. le temple de l'oubli

scénario : Le Tendre

dessins : Loisel

couleurs : Laurence QUILICI

DARGAUD

PARIS • BARCELONE • BRUXELLES • LAUSANNE • LONDRES • MONTREAL • NEW YORK • STUTTGART

www.dargaud.fr

© **DARGAUD EDITEUR 1998**
Tous droits de traduction, de reproduction et d'adaptation
strictement réservés pour tous pays.
Dépôt légal : Novembre 2001
ISBN 2-205-04799-X

Printed in France by PPO Graphic, 93500 Pantin - Novembre 2001

4

BRAGON, ESPÈCE DE MONSTRE! QU'AS-TU FAIT AU FOURREUX?

LE PAUVRET EST DANS TOUS SES ÉTATS

DRÜ!! DRÜ!

SUG! SUG!

QUOI? MOI UN MONSTRE!

AH! PRENDS GARDE PÉLISSE! SI TU N'ÉTAIS PAS LA FILLE DE CETTE VIEILLE SORCIÈRE DE MARA, IL Y A LONG-TEMPS QUE JE T'AURAIS DONNÉ LA FESSÉE QUE TU MÉRITES!

UNE FESSÉE.. TIENS DONC!!

ALLEZ... CHICHE!

MAIS QUE FAIS-TU PÉLISSE?.. RHABILLE-TOI!

BON SANG! CE... C... CUL!

CE CUL!!

AINSI TU AS RÉUSSI BRAGON!

MARA!

OUI BRAGON... CETTE "VIEILLE SORCIÈRE DE MARA" QUI SE RÉ-JOUIT DE TE REVOIR PUISQUE TU LUI RA-MÈNES SA FILLE...

ET LA CONQUE DE RAMOR!

LA FUREUR DE TES EXPLOITS A FRANCHI LA FRONTIÈRE DE LA MARCHE DES VOILES D'ÉCUME ET, EST PARVENUE JUSQU'À MOI!.. JE VOUS ATTENDAIS TOI ET PÉLISSE.

MAIS LUI! QUI EST-CE?

QUI... LUI?

C'EST MON GARDE DU CORPS... MÈRE IL S'APPELLE... MESSIRE L'INCONNU!

EUH...

VETENDRE VOISEL 82

MESSIRE L'INCONNU VRAIMENT!... C'EST UN JOLI NOM ET... QUI CACHE BIEN DES MYSTÈRES...

JE TROUVE AUSSI!

LÀ !.. SOUS LES OISEAUX.... QUELQU'UN !

RAALH

HYA! HYA! ARRIÈRE CHAROGNES !

ㄱ ㅇ ㅇ MAIS... C'EST UN JAÏSIR !

RAHL..

AH, C'EST DONC ÇA, LES FAMEUX GARDIENS DU TEMPLE DE L'OUBLI !

OU'EST CE QU'IL FAIT ICI, SI LOIN DE SA MARCHE ?

ET CES FLÈCHES, CETTE LANCE D'OÙ.... D'OÙ VIENNENT-ELLES ?

ELLES SONT DES NÔTRES, DAME... ELLES PORTENT LA MARQUE DE THÄ !

RRAA...

ㅇㅇㅇ OOHㅇㅇ

MÈRE !..

"' C'EST AFFREUX !.. UN HORRIBLE PRESSENTIMENT M'ÉTREINT...

LES JAÏSIRS ONT ATTAQUÉ NOTRE CITÉ... "'

JE LE SENS !

PAS UNE SECONDE À PERDRE ! À THÄ !

!.. MAIS ALORS... LE GRIMOIRE !

... ET AKBAR SERA LIVRÉE À RAMOR !

Koo !

Koo !

Koo

YAHOO!

SCROK !

GL !..

OUI, BRAGON.... LE GRIMOIRE.... SI LES JAÏSIRS ONT RÉUSSI À S'EN EMPA- RER, JE NE POURRAI PLUS RENOUVELER L'ENCHANTEMENT DE LA CONQUE !

10

HÖ!

HOLA ! BRAGON ! BAS LES PATTES !

AU MÊME INSTANT...

MERCI CHAUDRONNIER ! MERCI !

ENFIN JE VAIS POUVOIR MANGER !... MANGER !

INFÂME VERDURE ! TU VAS L'AVOIR TA CORRECTION !

MÈRE ! °°° ARRÊTE-LE !! IL SE BAT ENCORE POUR TOI !

NON PÉLISSE ! CE N'EST PAS CE QUE TU CROIS...

IL SE BAT DÉSORMAIS POUR TOI !

STÖ !

"...ET JE VAIS TE LE PROUVER...

SUFFIT. BRAGON !

PÉLISSE EST MA FILLE !... ET ELLE NE SERA À PERSONNE D'AUTRE !!

MAIS... POURTANT... ELLE A BIEN UN PÈRE ?...

EN PRINCIPE... OUI !

13

14

CHACUN·
AVAIT PRIS
SA PLACE

QUE LES DIEUX
BONS LES
ACCOMPAGNENT···

DÉJÀ L'ÉQUIPAGE
DE BRAGON
QUITTAIT THÂ···

UN BALANT·LE
MENAIT DROIT·
VERS SA DESTINÉE

JE VOUS EN
PRIE PRENEZ
PLACE À MON
CÔTÉ MON
ENFANT!

BURF!
J'AI BOUFFÉ
TROP VITE
MOI !··

···DU
CALME
BRAGON

···DU
CALME!···

MARA AVAIT
CHOISI LA
SIENNE···

DAME, C'EST DU·SUICIDE··
TOUS CEUX QUI SE SONT
AVENTURÉS DANS LE TEMPLE
DE L'OUBLI N'EN SONT
JAMAIS REVENUS···

MAINTENANT QUE PER-
SONNE···PALFANGEUX,
HOMME OU DÉMON···,
NE ME DÉRANGE!

IL NE RESTAIT QUE
HUIT JOURS AVANT
LA NUIT DE LA SAI
-SON CHANGEANTE···

CONFIANCE
NOBLE GALHOUM···
CONFIANCE···JE
CONNAIS BRAGON.
IL REVIENDRA!

LA NUIT DE LA
LIBÉRATION
DE RAMOR

RAMOR···DIEU MAUDIT! JE SAIS
QUE TU ES LÀ···ET QUE TU
M'ENTENDS! ALORS APPRENDS
QUE PAR LA FORCE DU GRI-
-MOIRE, JE ME SUIS JURÉE
DE TE DÉTRUIRE À TOUT JAMAIS!

À TOUT
JAMAIS !!

ET LES BRUMES
DE LA MARCHE
S'ÉTAIENT REFER-
MÉES SUR LE
BALANT ET SES
PASSAGERS!

LETENDRE   LOISEL

13

15

16

LÀ! C'EST ELLE!

LA MORT! RAMPANTE!!

MU, PAR UNE PRÉSENCE INVISIBLE, LE SOL VE-NAIT SOUDAIN DE SE SOULEVER! UN SILLAGE DE MORT FONDAIT SUR LES JAISTRS...

FUYONS!

LA MORT RAMPANTE... LE FLÉAU DU DÉSERT AVAIT TROUVÉ SA PITANCE!!

AILLEURS... SOUS LA MÊME LUMIÈRE... D'AUTRES VOYAGEURS ...D'AUTRES PROPOS...

COMMENT ÇA!... VOUS NE CONNAIS-SEZ PAS MA MARCHE?..

LA MARCHE DES MILLE VERTS!

MA FOI NON...

BURF!

MAIS VOUS ALLEZ VOUS FAIRE UN PLAISIR DE ME LA DÉCRIRE, HM... PRINCE.

MILLE FURIES! ILS N'EN FINIRONT JAMAIS DE ROUCOULER CES DEUX-LÀ...

...ÇA VA PAS MIEUX...

"MANQUERAIT PLUS QU'IL LUI FASSE LE COUP DES ARBRES..."

"...COMME À MARA!"

"...ALORS IMAGINEZ DES ARBRES... DES ARBRES PAR MILLIERS! UNE OASIS DE PAIX... UN OCÉAN DE VERDURE...

GAGNÉ!

"...ET VOUS SAUREZ ALORS QUE LA MARCHE DES MILLE VERTS EST À NULLE AUTRE PAREILLE!

ON Y DORT... ON Y VIT, ON Y AIME COMME AUX PREMIERS JOURS!... EN VÉRITÉ, OUI C'EST LA PLUS BELLE, LA PLUS MERVEILLEUSE CONTRÉE DU PAYS DES SEPT MARCHES!..

DE TOUT AKBAR MÊME!

Loisel.

17

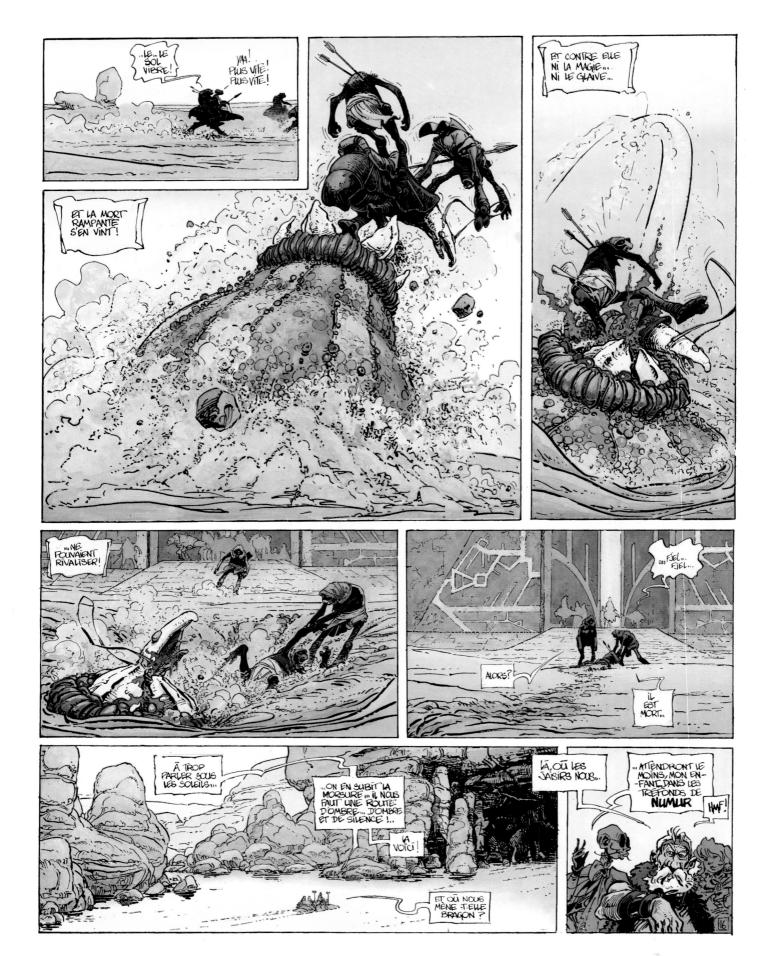

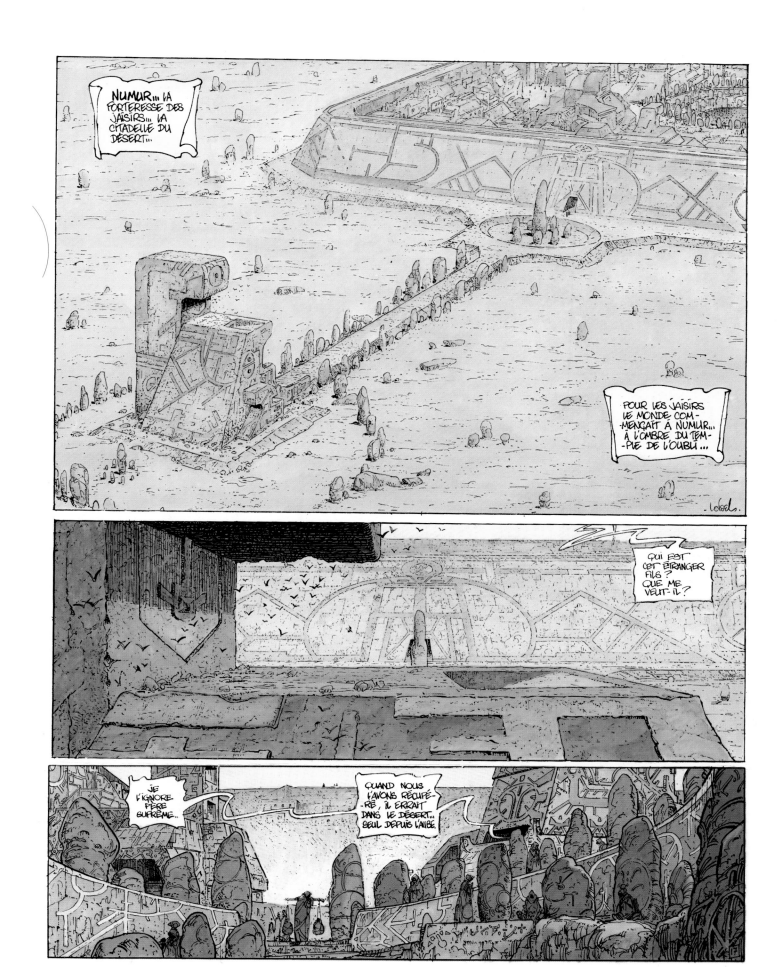

19

21

"IL EXISTAIT AU COEUR DE NUMUR UN SOMBRE ENDROIT APPELÉ... LA FOSSE AUX LUSTRES !..

"...PUISQUE JE VOUS DIS QUE JE NE SAIS PAS NAGER !...

"C'ÉTAIT LÀ QUE LE FLEUVE DOL APPORTAIT LA VIE AUX JAISIRS...

C'ÉTAIT LÀ AUSSI QUE LES PRÊTRESSES PARLAIENT AUX PIERRES...

...ET NUL AUTRE QU'ELLES N'Y ÉTAIT TOLÉRÉ !

ILS ÉTAIENT ENFIN ARRIVÉS... PRESQUE AU BUT !...

ET PUIS J'AI MAL AU COEUR !... MAL AU VENTRE !... ET...

ASSEZ DISCUTÉ !.. SEUL LE BALANT RESTE ICI... LE PASSAGE QUI MÈNE DROIT AU TEMPLE EST EN AVAL !... JUSTE APRÈS LA FOSSE... J'AI BESOIN DE TOI... TU VIENS !!

TA-TA-TA... SAVEZ-VOUS QUE JE MASSE TRÈS BIEN LES VENTRES MALADES...

DRÛ" !

?!

BON ALORS ON Y VA ?

QU'EST-CE QU'ELLE LUI A DIT ?

PLOUF !

OH, RIEN... MON AMI... RIEN...

LE SILENCE RÉGNAIT SUR LA FOSSE...

BIEN, MAINTENANT PLUS UN BRUIT... ET RESTEZ DANS LES ZONES D'OMBRE

RÔSS...

"IMMOBILES... EN ATTENTE... LES PRÊTRESSES LOU-AIENT LES PIERRES...

...ET LES PIERRES LEUR PARLENT DE L'EAU

BONG !

SALOPERIE DE CASQUE !

CHUIT !

?

IIIYAÏ" !?

23

25

SANG NOIR! IL EST VENU AVEC SA FILLE ET LE FRELUQUET CASQUÉ !..

IL VA FALLOIR JOUER SERRÉ !

VOICI LA PREUVE DE MA BONNE FOI !.. LE COUPABLE, CE FILS RENÉGAT A ÉTÉ CHÂTIÉ SELON NOTRE LOI !..

ET BULROG ?.. QUE VIENT-IL FAIRE ICI ?

TENEZ.. REMETTEZ-VOUS DONC UN INSTANT, MON GARÇON !!

ÇA Y EST, ÇA COMMENCE !

BEUH !.. TROP GENTIL !.... C'EST VRAIMENT L'EN-DROIT IDÉAL POUR DIGÉRER !

C'EST LUI QUI M'A AVERTI DE VOTRE... VISITE... IL S'ÉTAIT JOINT À L'APOSTAT DANS LE DÉSERT POUR COMBATTRE À SES CÔTÉS !..

IL SUBIRA LE MÊME SORT !

ALORS, GUEULE D'AMOUR, DE NOUVEAU SUR MA ROUTE, HEIN !.. JE VOIS QUE TU AS ENFIN TROUVÉ LA PLACE QUE TU MÉRITAIS !

NOUS Y VOILÀ !!

QUELLE SINISTRE DÉRISION !

PEUT-ÊTRE, GRANDE GUEU-LE !.. MAIS MA PLACE EST BIEN PLUS DIGNE QUE CELLE DU VALET D'UNE VULGAIRE CATIN !!

!!!

BOUGRE DE CAROGNE ! DÉTACHEZ-LE

HOLÀ, DU CALME, BRAGON !

MAIS DÉTACHEZ-LE QUE JE LUI REMETTE LES FESSES EN PLACE !!

BIEN VU, BULROG !.. À MOI DE JOUER MAINTENANT !

HA! HA! HA!

SOIT, BRAGON, SI TEL EST VOTRE DÉSIR JE SUIS PRÊT À LE DÉTACHER... MAIS LAISSEZ-MOI D'ABORD VOUS DONNER UN CONSEIL...

UN COMPAGNON PÉTRI DE HAINE EST PLUS EFFICACE DANS LE DANGER QU'UN AMI EN ROBE DE CONFIANCE !

?

VOTRE JEUNE AMI ME SEMBLE BIEN MAL EN POINT... ET LE TEMPS PRESSE. VOUS SAVEZ AUSSI QUE JE NE POURRAI VOUS ACCOMPAGNER DANS LE TEMPLE... ALORS....

IL A RAISON BRAGON. BULROG NE SERA PAS DE TROP !

... ET PÉLISSE SERA PLUS EN SÉCURITÉ ICI QU'AVEC NOUS...

PÉLISSE...

HM...

JOLI PRINCE... JOLI ET BIEN JOUÉ !

EH, DITES !.. QUAND VOUS EN AUREZ TERMINÉ, PEUT-ÊTRE POURREZ-VOUS VOUS OCCUPER DE NOTRE AMI !... IL A VRAIMENT BESOIN DE SOINS.

"TRÈS BIEN, MA FILLE. TU T'EN OCCUPES... TU AS DIT QUE TU SUIVRAIS TON INCONNU !.. EH BIEN, TU LE SUIS !

TU RESTES ICI ET TU NOUS ATTENDS !!

IL N'EN EST PAS !...

C'EST UN ORDRE !!.

"DRU" ?

HM ! COMPRIS ?

C'EST VRAI... VOUS SAVEZ UN MASSAGE ME FERAIT LE PLUS GRAND BIEN !

!

VOUS !!! ÇA VA !!!

ÇA VA !

BEN... QU'EST-CE QUE JE LUI AI FAIT ?

"DRU" ?

C'EST BON. ELLE A COMPRIS !.. BULROG VIENDRA AVEC NOUS !

LA LÉGENDE DISAIT QUE LES DIEUX AVAIENT FAIT CONSTRUIRE LE TEMPLE DE L'OUBLI AUX TEMPS ANCIENS POUR S'Y REPOSER...

"...ET JE TE PRÉVIENS BULROG !.. UN PAS DE CÔTÉ, OU UN MOT DE TROP... ET JE TE BRISE !

JE N'EN DOUTE PAS, MON VIEUX MAÎTRE... JE N'EN DOUTE PAS...

CESSEZ VOS GAMINERIES, VOUS DEUX ! CE N'EST PLUS LE MOMENT !

"...ET LES JALSIRS S'IMAGINAIENT ENCORE LES GARDIENS DE LEURS RÊVES.

C'EST POURQUOI SEULS CEUX QUI, PARMI EUX, AVAIENT RENONCÉ À LA VIE, OU TROP SAGES OU TROP VIEUX, OSAIENT EN FRANCHIR LE SEUIL...

NOUS Y VOICI, HARDIS COMPAGNONS !.. N'OUBLIEZ PAS QUE MARA COMPTE SUR VOUS HA ! HA ! HA !..

"RJEL N'ÉTAIT PAS DE CEUX LÀ !

IL ÉTAIT DIT AUSSI QUE QUICONQUE S'AVENTURAIT EN SON SEIN ÉTAIT ASSURÉ DE N'EN JAMAIS REVENIR. LES RÊVES ÉTAIENT RÉPUTÉS PUISSANTS!

...LES RÊVES OU LES CAUCHEMARS!

BON. ON VA OÙ MAIN-TENANT?

TOUT CE QUE JE SAIS C'EST QUE LES RUNES SONT GRAVÉES AU CŒUR DU TEMPLE.

AU CŒUR!.. EH BIEN LE CHEMIN ME PARAÎT TOUT TRACÉ... ALLONS-Y!

ATTENDEZ, BRAGON... LE COURAGE N'EST PAS LA TÉMÉRITÉ...IL Y A ICI DES MYSTÈRES QU'IL VAUT MIEUX AFFRONTER AVEC PRUDENCE...

AURIEZ-VOUS PEUR, PRINCE?

STUPIDE! VOUS ÊTES STUPIDE, BRAGON...

EUH...

HA! HA! HA!

BIEN JOUÉ BRAGON!.. ME VOICI BLOQUÉE ICI!..

À JOUER LES GARDES MALADES

RHAL...

REGARDEZ!

ET LUI!.. ÉCOUTE-LE MON PETIT MAÎTRE...IL VA VRAIMENT DE MAL EN PIS!.. QU'ALLONS-NOUS EN FAIRE, HEIN?..

DRÜ?

28

! ... TIENS!

EN VOILÀ UNE DRÔLE DE PE-TITE BÊTE!... D'OÙ SORS-TU, TOI...

VIENS PAR ICI MARMOUSET!

FAIM...

...HU... BON...

BULROG! QU'EST-CE QUE TU FABRIQUES, LAMBIN?!

...NE...JE J'ARRIVE!

? ... BON SANG... QU'EST-CE QU'IL S'EST PASSÉ?...

...PAS PARTIR... PAS PARTIR... FAIM... ENCORE...

REGARDEZ! J'AI TROUVÉ DES TORCHES!

ALORS... QUE MANIGANÇAIS-TU ENCORE?...

...HEU RIEN...

GARE BULROG!... GARE!... LES LAR-VES DU DÉSERT NE SONT PAS SI LOIN!... JE N'HÉSI...

VENEZ... C'EST À PEINE CROYABLE!

REGARDEZ... CES OSSEMENTS... CES PROVISIONS!...

LÀ!... EN-CORE UN!...

...TOUT NOUS PROUVE QUE C'EST LÀ, AU FOND DE CE SOUTERRAIN, QUE LES JAÏSIRS SE PRÉPARENT POUR LEURS DERNIERS JOURS!... NOUS APPROCHONS DU BUT, MES AMIS... LE COEUR DU TEMPLE!

DITES... VOUS NE REMARQUEZ RIEN?

CONTINUONS... CONTINUONS...

IL A LE MÊME REGARD... LE MÊME QU'AVAIT CELUI QUI EST MORT À NOS PIEDS.

28

PENDANT CE TEMPS, A NUMUR...

LA FIÈVRE MONTE!...

LE REPOS NE LUI SUFFIT PLUS... IL LUI FAUT UNE MÉDECINE EFFICACE!...

...TRÈS EFFICACE!

BAH... RIEN DE GRAVE! UNE GROSSE INDI-GESTION RÉ-CALCITRANTE!

UNE BONNE POTION FERA ÉVACUER TOUT ÇA!

AÏE!... OUILLE! NON!... LAISSEZ-MOI!...

VENEZ AVEC MOI, PETITE, JE VAIS VOUS DONNER CE QU'IL LUI FAUT!

EH! NON... NE ME LAISSEZ PAS... AÏE!... OUILLE... T-TOUT SEUL!... RRHA...

ET PEU APRÈS...

NOUS Y VOILÀ... C'EST ICI AU FOND DE CE COULOIR.

TENEZ, PRENEZ CE FLACON. QUELQUES GOUTTES SUFFIRONT.

OUI, SEULE-MENT. VOUS RETROUVEREZ VOTRE CHEMIN? PARFAIT.

SEULEMENT...

NON... FILS... JE NE PEUX M'Y RÉSOUDRE...

ET POURTANT IL NE PEUT EN ÊTRE AUTRE-MENT...

IL NOUS FAUDRA TUER LES ENVO-YÉS DE MARA DÈS QUE BULROG NOUS AURA TRANS-MIS LE SECRET DES RUNES

ET BRAGON, PÈRE SUPRÊME?

MAIS...?

FIEL!

BRAGON... C'EST BULROG QUI DÉCIDERA DE SON SORT...! IL LUI APPARTIENT DÉSORMAIS!

MAIS RIEN N'EST JOUÉ ENCORE... ATTENDONS

UN PIÈGE!... UN ABOMINABLE PIÈGE!... TU AS ENTENDU FOURREUX?

AUSSITÔT, PÉLISSE AVAIT REJOINT L'INCONNU! IL FALLAIT FAIRE VITE!..

DEBOUT! ON PART!!!

AVALEZ!.. CETTE POTION VA VOUS SOULAGER EN UN CLIN D'OEIL!..

MMHHH?.. BLBLL!.. GLOU!.. GLOU!..

DÉPÊCHEZ-VOUS!.. LA VOIE EST LIBRE!!

TOUSS!.. TOUSS!.. CRACH!.. BURP!.. QU'EST-CE QUE C'EST QUE CETTE MIXTURE?..

QUELLE HORREUR! RÔÔÔÔÔH...

EH!.. BURP! MAIS QU'EST-CE QUI SE... BURF!.. PASSE?..

APRÈS PLUSIEURS DÉTOURS,.. ILS AVAIENT ENFIN GAGNÉ L'ENCEINTE DE LA CITADELLE!..

PAS LE TEMPS! SUIVEZ-MOI!

REGARDE! DES MONTURES!

IXII...

GLOUP! ÇA... GLOUP!.. BEUHAA... REMONTE!

EH HOLÀ!.. QUE FAITES-VOUS! ARRÊTEZ! CES MONTURES SONT RÉSERVÉES AU DRESSAGE!

JE...JE... GLL...GLL... HURK... HURK.

?

HEY!..

BEUHAAAA

SPLOCH!

VITE FILONS! YAA...

ILS SONT FOUS! IL Y EN A... UNE QUI N'EST PAS ENCORE MATÉE!

HAAA... ÇA VA MIEUX!

YAAA!!

GLH? BBEUHH!..

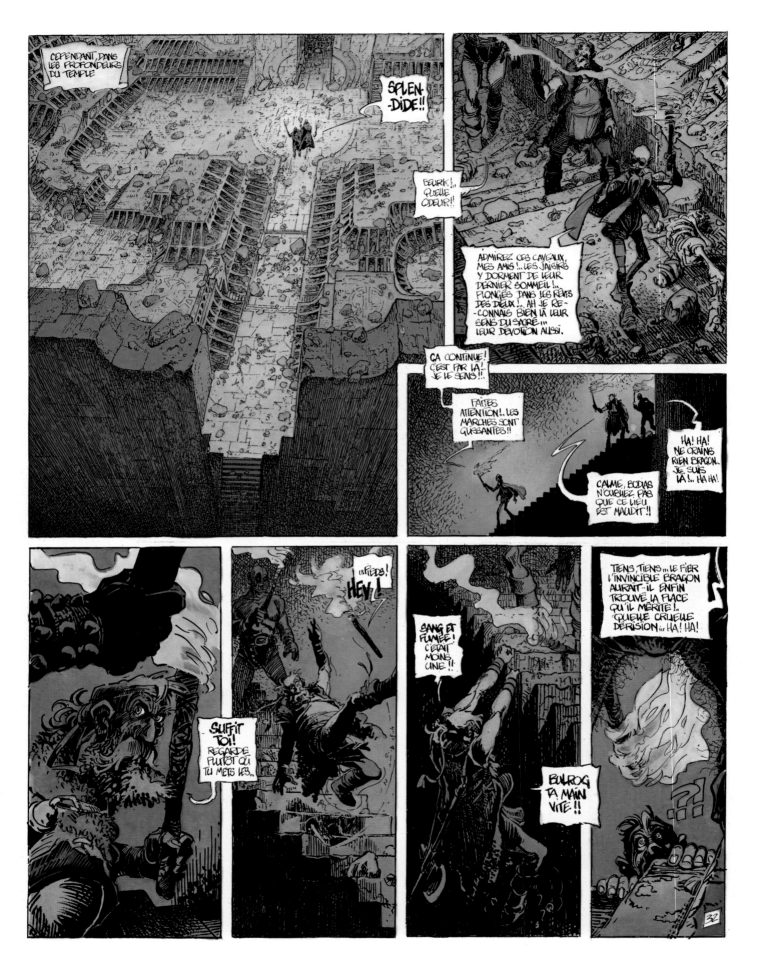

CEPENDANT, PLUS HAUT... À L'ENTRÉE DU SOUTERRAIN.

"MANGER..."

VENEZ! J'AI TROUVÉ DES TORCHES!

HEK

J'ARRIVE, J'ARRIVE...

REGARDEZ... LES TRACES DE PAS CONTINUENT PAR LÀ! SUIVONS-LES!!

ET LA MONTURE?

ON LA LAISSE!.. ELLE RETROUVERA BIEN SON CHEMIN TOUTE SEULE!

...! COMMENT ÇA!.. "TOUT CE CHEMIN POUR RIEN!"

EXPLIQUEZ-VOUS BODIAS!

BODIAS ÉTAIT PARVENU LE PREMIER AU BORD DU FLEUVE!.. LE PREMIER IL AVAIT RESSENTI L'ÉCHEC...

OH, C'EST SIMPLE!.. REGARDEZ... À CETTE DISTANCE IL M'EST IMPOSSIBLE DE DÉCHIFFRER LES RUNES. ET LE COURANT M'EMPORTERAIT COMME UN FÉTU SI JAMAIS JE TENTAIS DE LE TRAVERSER!.. ALORS...

ALORS... UNE CORDE!

OUI. NOUS ALLONS TRESSER UNE CORDE!.. IL Y A SUFFISAMMENT D'ORIFLAMMES ICI!.. ET AVEC ELLE AUTOUR DE LA TAILLE VOUS N'AUREZ PLUS RIEN À CRAINDRE!.. NOUS VOUS TIENDRONS, BODIAS!

JE L'ESPÈRE BRR...

ET C'EST AINSI QUE...

?.. TIENS TE REVOILÀ... TOI!..

PLUS SERRÉS LES NŒUDS, BRAGON!

...PETIT... POI... POILU!

"..."

"FAIM... FAIM... "MANGER" MANGER..."

BAH!.. POUR UN PETIT FORMAT COMME VOUS ÇA DEVRAIT SUFFIRE...

"..."

?

?

...BRAGON!.. REGARDEZ!! BULROG!!!

...BON... MHM...

38

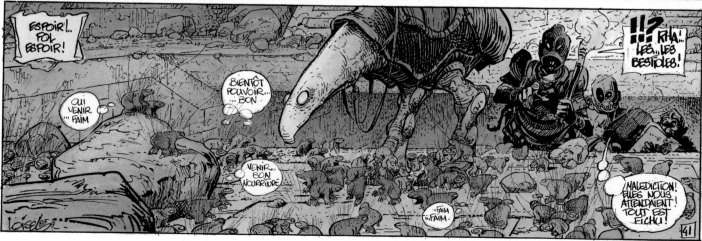

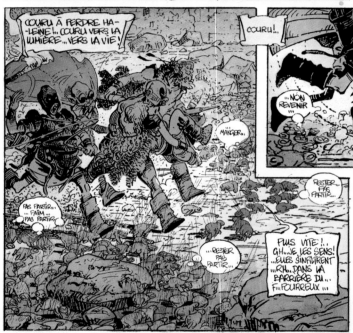

SUFFIT !.. INUTILE DE VOUS MENTIR PLUS LONGTEMPS, BRAGON !.. C'EST MOI QUI AI ORGANISÉ L'ATTAQUE CONTRE THA !.. C'ÉTAIT FOLIE !.. NOUS NE SOMMES PAS UN PEUPLE DE GUERRE !.. NOUS AVONS ÉCHOUÉ !.. AUSSI, QUAND BULROG EST VENU ME PROPOSER SON AIDE, JE L'AI ÉCOUTÉ !.. CONTRE VOTRE VIE ET LA CHARGE DE CHEF D'ARMES IL SE FAISAIT FORT DE M'APPORTER LE GRIMOIRE !.. ALORS,.. J'AI ACCEPTÉ !

CAR, DEPUIS QU'ELLE A TRADUIT LE GRIMOIRE, LA SOIF DE POU--VOIRS DE MARA N'A CESSÉ DE CROÎTRE !.. ELLE S'EST DRESSÉE CONTRE L'ORDRE DES DIEUX !.. CONTRE LA DESTINÉE DE RAMOR !.. NUL N'A CE DROIT !!

LES SECRETS DU GRIMOI--RE !.. CEUX DES RUNES MAINTENANT DOIVENT ÊTRE PROTÉGÉS DE SA FOLIE !.. ".. DE GRÉ !.."

".. OU DE FORCE !.."

HÉ, HÉ !

IGNOBLE !.. VOUS ÊTES IGNOBLE, FIEL !.. NON SEULEMENT MARA EST LE BON DROIT PERSONNIFIÉ !..

".. MAIS DE PLUS VOTRE ATTITUDE EST INDIGNE D'UN PRINCE-SORCIER !

INDIGNE !!

CRAC !

SACRILÈGE !! IL A BRISÉ LE BÂTON DE COMMANDEMENT !

TUONS-LE !!

MILLE FURIES !! ILS VONT LE DÉCHIQUETER !

PETIT.. VITE ! À NOUS !.. DÉGAGEONS-LE !

EUH...?

BRAGON ! À M... MOI !!

J'ARRIVE PRIN-CE ! ARRIÈRE JAISIRS ARRIÈRE !

EUH MAIS...

QU'EST-CE QUE TU ATTENDS ? LE FOUET !!.. SERS-TOI DU FOUET ARDENT !

IL EST MARRANT LUI ! J'AI JAMAIS SU MANIER CE GENRE D'ENGIN ! MOI !

".. BON ON Y VA !

ET LE FOUET ARDENT, L'ARME DE BRAISE AVAIT CLAQUÉ !..

CRAC !

43

46

LE PRINCE-SORCIER DES MILLE VERTS AVAIT RÉCLAMÉ UNE DER- -NIÈRE FAVEUR...

REVOIR SA MARCHE ... LA REVOIR AVANT DE MOURIR.

FJEL L'AVAIT CONFIÉ A SES DEUX MEIL- -LEURS GUIDES.

TOUT EST FINI. QU'ALLEZ-VOUS FAIRE MAINTE- -NANT, BULROG?

JE... JE NE SAIS PAS ENCORE ... ET VOUS, PRINCE?

JE NE SUIS PLUS UN PRINCE, BULROG!... EN BRISANT MON BÂTON, BODIAS M'A OUVERT LES YEUX!... C'ÉTAIT UN SIGNE!... IL FALLAIT CHOISIR!... VOYEZ-VOUS, MA VIE PASSE DÉSOR- -MAIS PAR D'AUTRES CHEMINS... DES CHEMINS NOUVEAUX... DES CHEMINS DE PAIX...

JE COMPRENDS...

OUI, JE COMPRENDS...

ADIEU FJEL!... ADIEU ...

L'HEURE FROIDE DE LA NUIT ÉTAIT VENUE... NUMUR DORMAIT ENCORE.

BIENTÔT LES PREMIÈRES CHALEURS RÉ- -VEILLERAIENT LE DÉSERT...

BIENTÔT LA MORT RAMPAN- -TE REPRENDRAIT SA CHASSE ET...

"...ET RIEN NE SERAIT PLUS COMME AVANT...

45

47

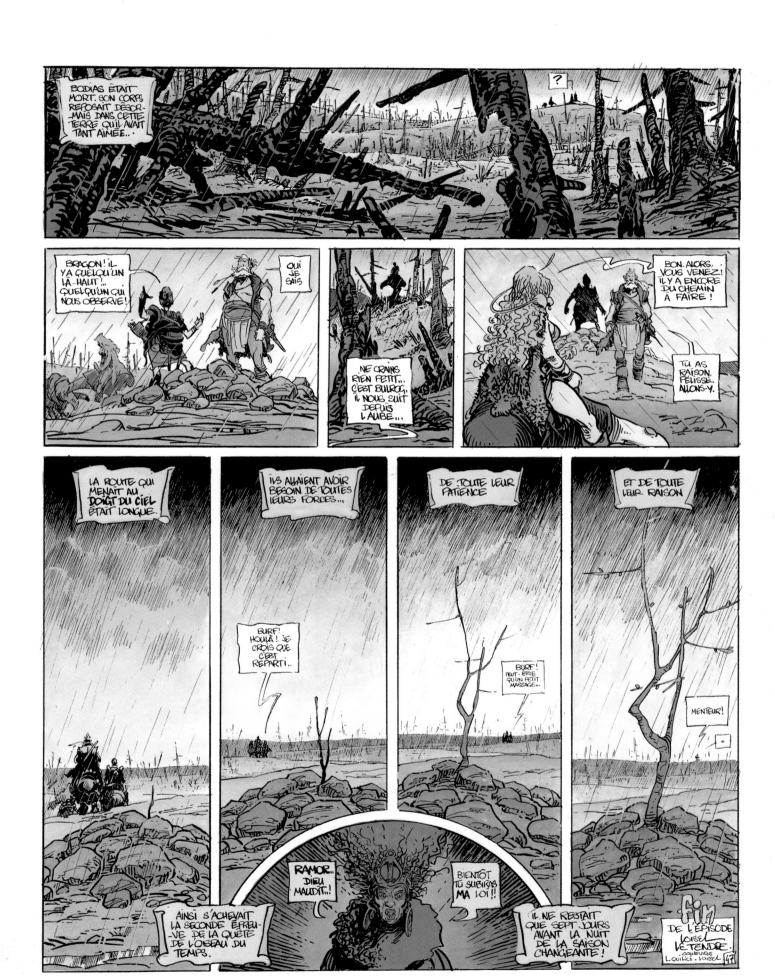

49